Character · 등장인물 ·

밀짚모자 일당

쵸파에몬
토니토니 쵸파 【 닌자 】

'새의 왕국'에서 '강한 약 연구에 몰두하다,
재합류에 성공.

[선의 현상금 100베리]

루피타로
몽키·D·루피 【 낭인 】

해적왕을 꿈꾸는 청년. 2년의 수련을 거치고
동료와 합류, 신세계로 향한다!

[선장 현상금 15억베리]

오로비
니코 로빈 【 게이샤 】

혁명군 리더이자 루피의 아버지 드래곤이
있는 바르티고를 거쳐, 합류.

[고고학자 현상금 1억 3000만베리]

조로주로
롤로노아 조로 【 낭인 】

어두우르가나 섬에서 자존심을 버리고 미호크
에게 검의 가르침을 간청. 이후 합류에 성공.

[전투원 현상금 3억 2000만베리]

프라노스케
프랑키 【 목수 】

'미래국 벌지모아'에서 자신의 몸을 더욱 개조.
'아머드 프랑키'가 되어 합류.

[조선공 현상금 9400만베리]

오나미
나미 【 여닌자 】

기후를 연구 분석하는 나라, 작은 하늘섬
'웨더리아'에서 신세계의 기후를 배워 합류.

[항해사 현상금 6600만베리]

본키치
브룩 【 유령 】

수장족에게 잡혀 구경거리가 되었으나, 대스타
'소울 킹' 브룩으로 출세해 합류.

[음악가 현상금 8300만베리]

우소하치
우솝 【 두꺼비 기름 장수 】

보인 열도에서 '저격의 제왕'이 되기 위해
헤라크레스의 가르침을 받고 합류.

[저격수 현상금 2억베리]

Shanks
샹크스

'사황' 중 한 사람. '위대한 항로' 후반
신세계에서 루피를 기다린다.

[빨간 머리 해적단 선장]

상고로
상디 【 소바장수 】

'뉴하프만 왕국'에서 뉴커머 권법의 고수들과
대전 한층 더 성장하여 합류.

[요리사 현상금 3억 3000만 베리]

캐럿 (토끼 밍크)

[전수민족 · 왕의 새]

트라팔가 로

[하트 해적단 선장]

네코마무시 나리

[모코모 공국 · 밤의 왕]

이누아라시 공작

[모코모 공국 · 낮의 왕]

코즈키 모모노스케

[와노쿠니 쿠리 다이묘 (후계자)]

시노부

[베테랑 여닌자]

오키쿠

[와노쿠니의 사무라이]

소낙비 칸주로

[와노쿠니의 사무라이]

안개의 라이조

[와노쿠니의 닌자]

여우불 킨에몬

[와노쿠니의 사무라이]

오타마

[와노쿠니 쿠리에 사는 아이]

야스이에

[코즈키 가문 다이묘]

토코

[도읍에 사는 야스이에의 딸]

코즈키 히요리

[모모노스케 여동생]

아슈라 동자 (슈텐마루)

[아타마야마 도적단 두령]

카와마츠

[와노쿠니의 사무라이]

규키마루

[강탈 승병]

살인귀 카마조

[꽃의 도읍 수배자]

유스타스 키드

[키드 해적단 선장]

꽃의 효고로

[야쿠자 대두목]

굴장으로 보내진다. 다른 동료들도 카이도의 부하에게 발각되어 쫓기는 몸이 되는데! 정보 수집, 루피 구조
지 모으기를 동시에 수행하는 와중, 카이도 측에 습격 계획이 들통나고 만다. 이를 알아챈 코즈키 가문
이묘 · 야스이에가 연극을 펼치고 자신의 목숨을 바쳐 계획을 백지로 돌리는 데 성공했다. 슬픔에 겨운
에몬 일행, 그러나 습격까지는 여전히 문제가 많다…

백수 해적단

백수의 카이도
【 사황 】

수 차례 고문과 사형을 당하고도 아무도 그를
죽일 수 없어 '최강의 생물'로 불리는 해적

[백수 해적단 선장]

오링
샬롯 링링【 사황 】

'사황' 중 한 사람. 통칭 빅 맘. 수명을 뽑아내는
'소울소울 열매' 능력자.

[빅 맘 해적단 선장]

'대간판'

화재(火災)의 킹

역재(疫災)의 퀸

가뭄해 잭

'토비롯포'

X (디에스) 드레이크

페이지원

'신우치'

바질 호킨스

홀덤

바바누키

다이후고

솔리티아

쿠로즈미 오로치
[와노쿠니 쇼군]

후쿠로쿠쥬
[오로치 오니와반슈 대장]

오로치 오니와반슈
[와노쿠니 쇼군 직속 닌자 부대]

말뚝잠 쿄시로
[쿠로즈미 가문 전속 환전상]

Story · 줄거리 ·

2년의 수행을 거치고, 샤본디 제도에서 재결집에 성공한 밀짚모자 일당. 그들은 어인섬을 거쳐 마침내
최후의 바다, '신세계'에 이른다!! 루피 일행은 '사황 카이도 격파'를 위해 와노쿠니에 상륙하고 2주 후에
있을 습격에 대비해 동지를 모으고 있었다. 하지만 루피는 갑자기 나타난 카이도에게 패하고 죄수

ONE PIECE
vol. 94
무사들의 꿈

CONTENTS

제 943 화
'SMILE'

표지 리퀘스트 '로빈이 타란튤라에게 실을 받아 뜨개질을 하는 모습' P.N 노다 스카이워커

슬퍼하지도 못 하게 하다니…!!!! 여기가……

사람을 불행하게 만들어 놓고………!!

'지옥'이 아니면…… 뭐죠?

조로주로 씨…….

'스마일'은 그냥 '악마의 열매'가 아닌 건가…?!

나의 '와노쿠니'에서 뻔뻔하게 살아있을 줄은!!

네놈에게 걸맞는 최후로구나, 야스이에!!!

므하하하 하하하~ ~~~~!!!

무례한 고슴도치!! ………아니지,

시궁쥐인가!! 므하하하!!

전(前) 다이묘의 처형을 보고 다 함께 웃다니!!

오로치도 지독하구만!!

봐라!! 저 자식들 미쳤다구~~ ~~~~!!

우동 '죄수 채굴장'

저 녀석이 누구든…….

이유가 있는 거지…….?

!!

야스이에 공……. 오늘날까지 살아계셨을 줄은…….

있을 리가 없어…….!!!

죽어서 웃음거리가 돼도 괜찮은 녀석이

그래서 당신…. 야스이에 공………!!

들통났던 것인가. '작전'은.

여기에도 있다네……. 웃는 것밖에 못 하는 녀석은…….

아마도 'SMILE'의 영향이겠지………

?!

어떤 인공적인 '과실'의 수입을 시작했어……….

이 나라에서 제작한 무기와 맞바꿔

카이도와 오로치는

——몇 년 전부터

'SMILE'…….

'인조 악마의 열매'잖아………. 우리는 그 공장을 부수고 왔어.

'동물의 힘'을 얻어 흉포화 되는 '소름끼치는 과실'.

그 열매를 먹으면 바다에게 미움을 사 헤엄을 칠 수 없는 대신에

그래. 킨 님에게 들었어.

——하지만 솔깃한 이야기에 리스크는 따르기 마련……

'최강의 해적단'을 만들어내는 것………!!!

자신의 부하들을 괴물처럼 강화시켜

——카이도의 목적은 그 힘으로

힘을 손에 넣을 수 있는 건 겨우 한 사람.

나머지 9명은 꽝이고…… 리스크만 지게 돼.

그 인공적인 강화의 성공률은 약 10%.

10명이 과실을 입에 대고

──그저 웃을 수밖에 없게 돼………!!

뭐?!

불완전한 약품의 부작용으로 '슬픔'이나 '분노'의 표정을 잃고

헤엄을 못 치게 될 뿐더러…!!

SAD
8599

쿠쿠쿠쿠

아직 아무것도 먹은 거 없이 짐승의 힘을 얻을 찬스를 기다리는 자들이

'웨이터즈'!!

WAITERS 웨이터즈

카이도의 '백수 해적단' 전투원은 세 단계로 나뉘어 져.

비극은 여기서부터야 ………!!

?!

그런 무서운 의미가……….

'악마의 열매'에 이상한 이름을 붙였다 싶긴 했는데……

새로운 '플레저즈'를 만들어낼 수 있어………!!

!!

— 설마….

과실에는 아직 부작용만을 전달하는 효력이 남아 있어서

와하하하하

오로치는 한 입 베어먹었을 뿐인 실패작 'SMILE'을 눈여겨 봤지.

도읍에서 내놓은 '떡고물' 속에 바로 그 'SMILE' 실패작을 끼워넣었어.

?!!

'꽃의 도읍의 떡고물 마을'을 탐탁지 않게 여긴 오로치는

나날이 사람이 죽고 흐느끼는

환자들한테도 나눠주자!!

이렇게나 많아!! 다같이 먹자구!!

아직 신선해!

사과가 있다!!

만세ー.

공복을 견디지 못했어…!!

!!!

ーー그럼에도 '떡고물 마을' 사람들은

아하 하하 하 하하

몇 번 거듭되면 그게 어떤 과실인지

누구든지 알아………

이렇게 맛있는 사과라니!!

'에비스 마을'은 그렇게 만들어진 거예요……….

언뜻 즐거워 보이지만 부모의 죽음조차 슬퍼할 수 없는 비극의 마을이………!!

와하하하하하

ーー한 사람도 빠짐없이 미소짓는 밝은 마을.

………………!!

19

21

D (독자) : SBS를 시작합니다!　　　P.N. 평범한 게 제일 씨

O (오다) : 으어—!!ζ 평범!! 진짜 평범해—!! 너무 방심했네.

D : 오다 쌤! 가슴 밴드 그렇게 뒤집어 쓰면 못 써요!
　　　　　　　　　　　P.N. 타카타카

O : 엑〜? 무슨 소릴〜〜! 와하하핫!!
　농지거리가 심하네〜〜! 와하하핫!!
　와하하하하핫... 얼레? 경찰차 소리가....

D : 오다 선생님 중대한 보고 사항이 있습니다.
　89권 23페이지에서 상디가 빅 맘에게 발차기를
　날렸죠? 여성을 차지 않는 상디는 어디로 간 거야!
　　　　　　　　　　　P.N. 모모타로 헌터

O : 네. 이거 엽서 몇 통 받은 질문이긴 한데 말이죠,
　아니야! 빅 맘이 레이주를 노리고 펀치를 날려서
　루피와 상디가 그걸 받아낸다.
　이건 그런 장면이라구요. 하지만, 그냥 받아내는
　정도로 빅 맘의 펀치는 막아낼 수 있는 건가?!
　무리죠!! 그래서 그녀의 펀치력을 죽이기 위해
　발차기로 받아낸 겁니다!! 그러니 이것은 방어이자,

　여성에 대한 폭력이 아닙니다!! 상디는 방침을 어기지 않았어요!!

D : 상디 씨에게 한 마디만 딴지 걸게 해주세요.
　'혼욕이면 스텔스 상관일랑 없잖여!!'
　　　　　　　　　　　P.N. toshiy

O : 상디 군, 저런 소리를 하는데요.

S (상디) : 애 toshiy, 혼욕이라도 그렇지 레이디의 알몸을
　　　멀뚱멀뚱 쳐다볼 수 없는 노릇이겠지?! 하지만 투명하게 된 나는…

O : 거기까지 해, 상디—!!ζ
　소년들, 엿보기는 범죄입니다!! 자 그럼 SBS!

제 944 화
'단짝'

표지 리퀘스트 '꼬마 원숭이에게 밀짚모자를 씌우고 볼이 발그레 물든 행콕
(루피를 프린트한 T셔츠 착용)' P.N 오난츄르

반역자
상고로다아!!!

하수인
조로주로다아!!

마찬가지거든?!
'털주로'!!!

아하하하.
아빠아~~
~~~~!!

미안하지만
너랑 어울려줄
틈은 없어.
'눈썹고로'.

당당히
나타났군
....

저건
조로주로 씨의
동료 분?!

토코......

그극.

여봐라, 사무라이들!! 처형을 훼방놓은 자도

야스이에의 딸은!! 그 계집년은 대역죄인이다!!

와아아아 천거억!!

네 이놈!! 감히 처형을 방해해?!!

모조리 죽여도 상관없다!!!

생쥐의 동료가 자꾸 나타나다니.

엇!!!

이 녀석은 맡겼다.

두웅!!!

천거억

예이!!

'야스이에 님'도 모시고 나가야 해.

오토코를 잘 지켰다!!

소동이 벌어졌지만 이건 나무랄 수 없어!!

조로도 도읍에 있었구나!!

시신을 저대로 버려두진 않겠어!!

드레이크가 날뛰기 시작했다아!!!

와그싹!!

우와악——!!

쩌거억!!

!

쏴라!!

빼!!

억!!

짜식이!!

두콰, 콰콰콰랑!!

부탁한다.

?!!

두콰콰쾅!!

알았어!!!

뭐야, 저 목수는?!!!

끄아아아아

부즈즈

끄악————!!!

'스트롱 라이트'!!!

타다다

총이 안 통해?!!

구경거리로 만들지 않겠어!!

안심해!!

야스이에 님을 도둑 맞았다!!

처럭떡!

무슨 일이 벌어지는 거야?!

누구지?! 저 녀석들!!

끄아악

으아악!!

떠벌어졌어!!

와노쿠니
'우동'

해치워버려
——!!!

얘들아,
가는 거야!!

우오오!!

네 일행이냐,
밀짚모자.
와하하하,
이거 재밌네!!

오로치의
목을
노리다니.

빠 밤!!

와

퀸 님.
'꽃의 도읍'에서
'죄인'이
도착했습니다!!

저딴
발싸개 확
베어버려!!

아니!!
가라,
조로!!

자네
동료들인가?!
밀짚모자!!
이거 큰일인데
……!!

무슨 짓을
당했길래
이렇게
딴 사람이
된 거냐?!

까하하하하
~~~~!!

......?!

어?!

SMILE의
희생양이 된
동료를 구하려
한 건가.

저게.........
그 마스크
녀석이야
......?!!

가엾게도
......!!

누가
내 단짝을
이 꼴로 만든
거냐고!!

횻횻횻.

우리 동료입니다. 당신도 얼른 도읍에서 탈출을!!

토코와 야스이에를 데리고 간 건

안심하세요!!

토코가!!

자아, 이 틈에!!

짜잉♪♫

또 나왔다, ※가샤도쿠로~ ~~~~~!!!

휘이~~ 흐늑 흐늑 흐늑

원통하도다~ ~~~~♪

부르르~

※가샤도쿠로 : 해골 요괴

방금 전 조로주로와 함께 있는 모습을 봤다.

저 여자를 쫓아라.

?

예!!

라이진, 후진!!

!!

와아아아아아아아 아아

와

캡틴!!

트라팔가.

빠 방!!

나타날 줄 알았다.

'인질' 모두를 눈에 보이는 곳에 두는 것도 멍청한 이야기.

네놈의 능력이라면 금방 밖으로 도주시키겠지.

흰곰이 있었을 텐데……

한 명 더 …………

그러는 네놈은 어떻고?

엉?! 우쭐대지 마라. 학습 능력이 없는 건가?

너도 감방에 들어가 주실까.

사치?! 아파!!

너는 날 쓰러트리지 못해.

부하 셋을 죽인 후다.

네가 나를 벨 수 있는 건,

나는 지금 4개의 목숨을 갖고 있다.

....
....
......!!

우리를 함정에 빠트리려 한 거냐!!!

뻐거억!!!

쿠리 '바쿠라 마을' 변두리

키비
꽃
링고
×
쿠리
우동
하쿠마이

오니

잠깐, 아슈라.
우리가 잘못했다!!

킨에몬!!

으!!

아타마야마는 불타버렸다!!!

텅썩!!

52

'주군을 위해'라는 대의명분에 으쓱해!!
시간에 쫓겨 강행수단에 나섰다네………!!

——그 말이 맞네. 처음부터 엎드려 절도 마다않고 간청했어야 했어.

콜록.

미안허이!!!
아슈라.

20년이라는 세월로 인한 사람의 변심도 헤아리지 못하고……!!

쿵!!

오… 오링이 부르고 있시야요!!

!

같이 먹자~ ~~~!!!

'팥죽' 냄새가 나~ ~~~!!!

오타마 짱, 어서 오렴~ ~~~!!

크, 크

쿠욱…

어떻게 안에 들어갈지가 과제였는데……!!

──게다가 열렸네요…… 문이!!

──이제 오라비를 구출할 수 있시야요!!

……!!

어?! 팥죽이 왜 있는 거지?? 일생일대의 뻥인데.

마음 단단히 먹고 가죠!! 쵸파에몬 씨!!

이곳 우동을 이끄는 건 백수 해적단 '대간판' 퀸!!

느들 그 천쪼가리에 대한 신뢰 뭐야?!!

으… 음. 어쩔 수 없지.

뭐── ─?!

오타마와 모모노스케 님은 여기 숨어서 기다려주세요.

당연하죠. 모모노스케 님께선

절대 발각돼서는 안 될 인물.

잔뜩 먹을 수 있다고 해서 멀리서 찾아왔다구♡

여기 오면

맞아. 빨리 줘!!

'팥죽'이라고 했겠다?!

'팥죽'이 내 별미라는 걸 알고서 부리는 행패냐?!!!

정신이 나갔어!!

........??

?

웃기지 마라. 대체 누가 그런 건방진 소릴!!!

으악—. 퀸 님이 변형을!!!

....
....

....
....

야, 기다려. 너희!! 그런 짓 하는 사이에 뾰족남 쪽 녀석들 익사하게 생겼어!!

57

기다리십시오, 퀸 님. '식(食)'에 관해선 빅 맘을 거스르면 사단이 납니다!!

싸울 작정 인가요?!

뭐가 그런 짓이냐 ....!!

재네부터 먼저 끌어올리라구!!!

........!!

여기가 질문코너 SBS 인가
찢지마!!!

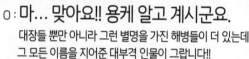

D : 해군대장 이름은 '색 + 동물'로 통일되어 있잖아요. 제 생각인데
해군본부 안에 대장 이름을 결정하는 기관이 있고,
그곳에서 협의해 정하는 거 같아요.
혹시 그 기관의 톱이 이름을 판단하는 게 취미인 중장
'나즈 케타가리' 맞아요? 분명 그렇겠죠…?!   P.N. 이로하

O : 마… 맞아요!! 용케 알고 계시는군요.

대장들 뿐만 아니라 그런 별명을 가진 해병들이 더 있는데
그 모든 이름을 지어준 대부격 인물이 그랍니다!!

이름을
지어주도록
하게썽

나즈 케타가리 중위

D : 943화… **초 감동!!! (페—엥!!)**

이조?! 흰 수염 해적단 '16번대 대장' 이조가 전(前)
'아카자야 아홉 남자'? 아아아…
코즈키 오뎅은 전(前) '16번대 대장'?!
P.N. 420 랜드

O : 어이쿠…. 또 자잘한 부분을

눈치채고 말았군요.
회상 장면에서 붙잡힌 젊은 날의 킨에몬 일행.
수를 세어보면 분명 9명이 있는데, 어라? 오키쿠 아닌가
하고 생각했더니… 살짝쿵 분위기가 다른 사람…. 덧붙여 '이조'란
정상전쟁 편에 등장한 '흰 수염 해적단' 대장 중 한 사람.
분명 일본 옷차림에 조금 닮았더라죠. 그리고 82권 820화에서
'와노쿠니' 사람들이 몇 명, 흰 수염 배에
탔었다는 서술이 있지요〰.
이건 언젠가 밝혀질 이야기니까,
이대로 쭉 읽어주시길 바랍니다.
눈치챌 만하죠〰!

그러니까…
흰 수염의 배에
오뎅과 이누랑
네코가 탔고…?!
………
……!!!
……?!

제 946 화
'퀸 VS 오링'

표지 리퀘스트 '킨에몬이 오츠루와 밤길 데이트.
여우가 여우불을 밝히며 길 안내를 하는 모습' P.N 벌꿀 앓는 아이

으윽.

팥죽 내놔,
도마뱀
자식아!!!

퀸 님~~!!!

팥주욱
~~!!!

오링
씨?!

62

평범한
노파가
아니라구!!

저 노파는
뭐지?!!

'열리지 않는 감옥'이 박살났다!!!

앗!!

이봐!! 조금 마음에 걸리는데… 저거.

안에서 죽은 게 틀림없어……

도망치기는 커녕

감옥 안에서도 수갑이 채워져 있었을 거야!!

안에 뭐가 있는지 모르지만……!!

섣불리 자극하지 마라. 다이후고!! 카이도 씨 지시는?!

바바누키 씨!! 쏴도 되는 거야?! 저거……!!

67

뭣이라?!

아무도 '오니가시마'와 연락이 닿질 않습니다……

간수장, 그게요!! '스렁이' 통신이 먹통인 상태라서!!

우동 죄수 채굴장 내 '간부탑'——.

닌닌닌 닌닌닌!!

까악

두웅!!

'저쪽으로 갔다', '이쪽에 있다'

이렇게 '통신'을 해대니 적은 성가셔!!

카리브도 쓸 만한 사내로군!!

바깥 소란 덕분에 수월하구만.

무슨 일인지는 모르나!!

?

거기서 염파를 날리는 방식이거든.

각 마을에 한 마리씩은 있는 '두목 우렁이'에게 전송되고………

각각의 우렁이 염파는 우선

잘 들어. 와노쿠니의 '스마트 우렁이'는

'염파'가 약하다는 약점이 있어!!

두목 스렁이

스렁이

'팥·죽'~~ ♡
찾았다~~~ ♡
!!!
두웅♡
냄비를 찾았어!!

어쩐담. 알맹이는 텅텅 비었는데?!
없다는 걸 알면 어떻게 되지?! 분노의 창끝은?!
우리 '몰살'일지도 ……!! 가능성 있어!!

이 달짝하고 풍성한 향기♡ 이렇게 잔뜩♡
멀리서 찾아온 보람이 있어!!

QUE

?!!!
텅텅!!
뻐ㄱ쿵!!

....

......!!

예측
불가능의
재해가 온다
~~~~
~~~~!!!

목숨을
지켜!!!

으아아아아악

......

모두 당장
피난해!!!

응?

팥죽 참
맛있더라
———!!!

나도
한번 더 먹고
싶거든—!!

그 슬픔
이해해.

이봐 이봐,
밀짚모자!!

범인이······!!

두 웅!!

······
······
······?!

째릿.

응?

너였냐——!!!

쿠쿠쿠쿠

아니 아니,
방금
자네가

?

왜
다들 날
쳐다본대?

아아아아

'팥죽
맛있었다'고
생각했던 것
뿐인데!!

지금도
말하고
있다만
괜찮은가?!

어——?!
목소리로
나왔어?!

팥죽을······?!

찾아냈지만
넌 역시
문제의 중심에
있구나——!!

루피타로
씨!!

이거 야단났네. 까딱 더 밀리면 골로 갈 텐데.

살짝 삐빅 소리 났어!!

삐빅!

큰일이다!! 진짜 큰일이야!!

이 이상 한 발짝도 물러설 수 없어!!

푸콰앙!!

입 다물어.

끄아악!!

!

빅 맘, 그 녀석의 목으로 봐 줘!!

모두한테도 먹여주고 싶었다고오~~~~!!!

엑?!!

팥죽을 왕창 싸들고 돌아가고 싶었어!!

......나는 그 가난한 마을 모두가 친절하게 대해줘서......!!

오링 씨, 어울려.

이바라키현 · 사가와 나오키 씨

D : 킨에몬 씨 부인 오츠루 씨와,
　　해군의 오츠루 씨 이름이 같은 건
　　우연인가요?　　　　　　　P.N. 루루

O : 그러게요ㅡ. 겹치네요ㅡ?
　　그렇지만요. 여러분 'NANA'라는
　　소녀 만화를 알고 계신가요? 이 만화 보면요,
　　주인공인 두 여자애 이름이 양쪽 다 '나나'!
　　이렇게 겹치거든요!! 유명 작품인데도!! 그러니까 괜찮지 않으려나?
　　언젠가 두 사람이 만나면 나눌 대화는 이렇습니다.
　　'나도, 이름이 츠루라고 해. 츠루 짱.'

오츠루　　중장 츠루

D : 우솝의 40세와 60세, 보여주세요!!　　　　　P.N. 매치와 타케시

O : 자, 대령이요!

AGE 40
날 보고 있어!!

해적기가

AGE 60
그 녀석이 말야

이쯤되니 그리운 걸

AGE 40
루피는 내 제자야

무슨 일이 생긴 미래

내 제자라고

AGE 60
조로? 아아...

78

제 947 화
'퀸의 도박'

표지 리퀘스트 '브룩이 써니 호 갑판에서 괭이갈매기 합창을 맡은 지휘자 모습'
P.N 노다 스카이워커

그때 레일리가 했던 거야!! 방금 내가 한 거.

틀림없이

어떻게 한 건지 전혀 기억이 안 나!!

빠밤!!

하지만 필사적이어서

저 괴력녀의 주먹을 튕겨내고!!

그렇다면 반드시 막아낼 수 있을 것이야!!

밀짚모자, 방금 자네가 보여준 힘은······

우리 둘의 목숨을 구해내 보게나!!

내가 가르쳐줄 수 있는 '유앵(流櫻)'을 이미 넘어섰다.

?!!

콰지…꽝!!

루피~~ ~~~!!!

아아아아악

루피타로 씨

…………!!

내 저럴 줄 알았다————!!!

빠바밤!!

쿵쿵..!

쿵쿵 쿵쿵..

에에 에에에

빅 맘~~
~~~??!

꺄아아아아아아아아아아 비!!!

어쩌면
좋다냐…!!
퀸 님도
못 당하는
상대

우리가
막아낼 턱이
없어!!

대혼란
입니다!!!

뿌콰앙!

저쪽에는
용광로가
있는데!!

문을
부수고
옆의 '죄수
제철소'로!!!

내게
작전이 있다…….
찬스는 한 번 뿐이야.
잘 들어라,
너희들……

…………저
할망구가
설치게 둘 순
없지…….

퀸 님!!!

'와노쿠니'는
카이도 씨의
'구역'이다.

쩌쩍
쩌쩍

으쩍
으쩍

두군

두군!!

마마. 마마….

헉.

히잉?!

픽

'봄버'!!!

두군

모두와
흩어지고
그리고……!!
꾀죄죄한
마을로
가서…….

어라?! 머리가
지끈거려!!
내가 뭘 하고
있는 거지?!
그래, 맞아…
그때 바다에
떨어져서……

두군

퀸 님 만세~
~~~!!
와노쿠니의
구세주!!!

D : 오다 선생님, 저는 사람에게 도움이 되고 싶으니까 목욕탕 일꾼 '때밀이'가
되고 싶어요. 그런데 팔이 두 짝밖에 없으니까
여성 한정입니다.　　　　　P.N. 사나닷치

O : 왔으렸다, 변태 녀석 사나다!! 아니, 진짜 안 된다구.
네가 그랬다간 체포되는 미래밖에 보이지 않아!!
그건 그렇고 이 '때밀이', 역사 이야기를 하자면 길어지니까
관심 있는 사람은 스스로 알아보셨으면 합니다만
남성 허드레꾼이 혼욕 '목욕탕'에서 손님의 몸을 미는 일을
했었다는 건 에도 시대에 있었던 사실(史實)입니다.
사나다 같은 변태는 못 할 일이에요!
관두라구!!

D : 혼욕 장면 더 보고 싶소이다, 라고
사나다 씨가 그랬어요.　　　　P.N. 마치와 타케시

O : 사나다 요놈 보소―!!

D : 코무라사키에게 짓밟히고 싶다고, 사나다 씨가 그랬어요.
　　　　　　　　　　　　　　　P.N. 마치와 타케시

O : 사나다!! SBS의 풍기를 어지럽히지 마!!

D : 슈텐마루 머리의 나무는, 라쿠고(落語) '아타마야마(頭山)'가 모델이죠?
그리고 오다 선생님 같은 경우는 어디에 나무가 자라나요?
　　　　　　　　　　　　　　　P.N. 킨보 (金坊)

O : 맞습니다! 라쿠고에 '아타마야마'라는 공연이 있습니다만
참 요상한 이야기인 게, 사람 머리에 벚꽃 나무가 자라서
사람들이 꽃구경하러 모인다는 그런 희한한 줄거리예요.
음―, 제 경우에는, 어디서 나무가 자라느냐면 그거야 물론,

고간입니다!! 자, 꽃구경 하러들 오시오!! 얼라리? 경찰차 소리가….

제 948 화
'캇파 카와마츠' 등장

너희들 힘으로 제압하라!!!

너희의 동료 루피타로가 날뛰는 통에 곤란하다!!

?!

?!

죄수들이여!!!

난 같은 편이라고!! 너희 여기 안 나가고 싶어?!

퍼덕!!

으악— 그만 둬!!

뭐∼∼∼∼?!! 너 무슨 소릴⋯⋯.

하지만⋯ 도망쳐서 어쩌라구?! 카이도와 오로치는 '와노쿠니 모든 땅'을 지배해.

너희가 깽판 부릴 때⋯ 속이 시원했던 건 사실이야.

원한이야⋯ 물론 있지!! 카이도 부하에게

이거 놔!!!

?!

와아 아아 아아!!

그래!! '밀짚모자'를 억눌러라, 네놈들!! 죄수들이 함께 싸울 줄 알았나?!!

?!

퀸 님은 물건 만들기를 애호하시는 분!!

이놈들의 반골 정신은 이미 꺾인지 오래다!!

으악.

'기계장치 무기'나 '바이러스' 제작이 취미시지!!

아무나 맞으면 돼. ……그럼 알아서 옳겠지!!

이봐!! 그런 거 안 맞으니까 그만 둬!!

?

젠장—!! 다 말해도 된다면 이 녀석들도 마음이 바뀔 텐데!!

……·.

103

희망이라면 있다고!! 다시 한 번 찬스가 있다고!!

어이!! 말해줘라, 밀짚모자 애송이!!

?!

캇~~~ 파파파 파파파!!

??

맞다 참, 저기에 누가 있댔는데……!!

!!

간수장 님!! '열리지 않는 감옥'에서……… 목소리가……?!

……

저 웃음 소리……!!

설마….

응? 캇파?

오로치 님께서 '처형'할 작정으로 그렇게 말한 게 13년 전.

'공장 배수가 잔뜩 밴 생선'을 계속 주면 괴로워하다 죽을 거라며……

누굽니까. 저기 몇 년이나 갇혀 있던 게!!

맹수라도 들어있나 했는데……!!

죽이고 와라……. 지금이라면 '사고사'로 정리할 수 있다!!

카파파파

엑~~~~~?! 다 죽은 줄로만 알았는데?!

'아카자야 아홉 남자' 중 하나다……!!!

저 안에 있는 건

캇파파파!! 이 수갑을 풀어라~ ~~~!!

106

앗!! 저 녀석들 뭐야?!

공중에 튕겨나갔어!!!

투콰콰 피콕 !!!

'망루 유앵'!!!

꼬아악~ ~~~!!!

아아아아 아

다행이다 …!!

저 기술 …….

솜씨는 건재한지고, 카와마츠!!

뜬 즉슨 패배라네.

엉?!

사람들이 이르길 '캇파류(流)'!!

대하의 급류마저 헤엄치듯이

번쩍!

누구야 저 덩치녀!!

?!

으아아아악.

……

와아아아아

루피타로 씨에게서 떨어지세요!!

캇파……!!

모두에게 정체를 밝혀라!!

?!

응?

어…?! 설마 효고로 두목?!

할배!!

!

키쿠!! 라이조.

전해질 리가 없다!!

천쪼가리에 가려진 얼굴로는

패배한 자들을 북돋아주고 싶다면……!!

한번 마음이 꺾인 자, 혹은 직접 싸우다

웅성

웅성

팡파.

지당하시오……

우선
신뢰를
얻어야 해.

캇파.

112

마음은
여자
랍니다♡

어?!!
남자야?!

와노쿠니 제일의
미청년 검사
'잔설(殘雪)'의
키쿠노죠'와
같은 가면?!

저 가면…
오뎅 성에서
죽었을
터인…!!

……!!

가면
무셔!!

게다가 함께 서있는 저 영감님은 역시 진짜

사무라이이자 최강의 씨름꾼이었던 '요코즈나 카와마츠'!!

'꽃의 효고로'!!

……
…….

그럼 루피타로는 대체 누구지?!!

어떻게든 카이도 씨에게 보고드려야!!

이건 마치 오로치 님의 우스개 그 자체.

나는!!

그 입, 닫아주셔야 합니다.

아니……
본 이상에는

!!

113

확실히 우리는 그저 망령일 뿐이다!!!

저건 후쿠로쿠쥬의 라이벌 닌자 '안개의 라이조'!!

해치워라, 저 시건방진 6명을!!

와노쿠니 '우동'

와아아아 아 아 아 아...!!

!!

콰과앙!!

콰앙!!

'익사이트 탄'을……!!

맞힐 수가 없습니다!!

어딜 노리는 거야?!!

타앙! 타앙!!

그만 둬!!!

콰앙!!

누구든지 상관없다고 했지!!!

119

쩌렁!!

!!

'번개 수리검'!!

쓰게나!! 루피 공의 벗이여!! 어느 것 하나는 맞을 터!!

?!

까와

으와악!!

홧홧…….

홧홧.

까와

끄아악.

'익사이트 탄'을 쏴라악!!!

으와아아아악..

재앙!!

……

파악!

가랏!!
너희는
지금!!

그 고통을
남에게
옮긴다…
………!!!

으아악!!

계속되는
고통에…
몸부림치며
무차별적으로

결국!!

봐라!!
저게
감염자들의
끔찍한 말로.

마치
말라비틀어진
식물 같지!!!

빠밤!!

……!!!

122

기병
'미이라'!!!

쿠웅!!

퀸 님의
걸작 중
하나!!
그 이름하여

124

그저 '일상'이 이어졌을 뿐……!!

이런 꼴을 당하지 않고……

……

그래!! 외부인인 너만 안 왔으면… 이 우동도

……!!

안 돼요!! 루피타로 씨, 만지면………!!

팍!!

억?!!

에엑———?!!

?!!

와락!!

멈춰, 너희들!!!

………

……!!

뭐가 위협인데……?!!!

무슨 짓인가, 루피타로 공!!!

멍청인가?!!

스스로……?!!

！！

하나도 안 통해!!!

이딴 거

뭐가 절망적인 힘이냐고…….

다들 강한데 너희는

내가 아는 '사무라이'들은

마음 속까지 산산조각 꺾이고 말야.

거짓말 마!! 어서 떨어져, 루피!!!

127

'엘리펀~~~트'.

쿠쿠쿠...

빠우빠우빠빠빠빠.

응?!

에...에...에...

이미 늦었어!!!

에...에...

안 돼, 그만 둬—!!

설마!! 간수장 그거!!

이봐!! 바바누키가 이쪽에 뭔가 쏠 작정이다!!

까와쿠쿠쿠쿠쿠...

헤...헥...

좀 위험한 미래가 보였거든......

엉?

꾜악!

추잉

프갸악
——!!!

정말로
믿음직한
남자군…!!

ㅋㅋㅋ…ㅋ

간수장~
~~~!!!

바바누키
니임~~
~~~!!!

!!
오 싹!!

뒷일 부탁해.

우리는 '반역'하기로 했다!!!

?!!

알고 있어. 괜찮아.

떠올려 봐. 간수에게 대들 경우 처형 그 첫 번째…!!

야, 잠깐. 짜식들아.

훌륭하다. '밀짚모자'…!!

결전 8일 전— 적 본진에 들키지 않고

끄아악~ ~~~!!!

으허어걱 ~~~!!

터무니없는 조력꾼을 데려 왔구나, 킨에몬!!

'우동' 제압!!

졸니? 더 넓힐까?

D : 오다 씨! 질문이 있습니다!! 90권 P67의
벨로 베티에게 쓰러진 여자아이의 스커트, 278화 표지 '에이스의
검은 수염 대수사선'에 등장했던 모다의 스커트와 닮았네요?!
이 여자아이 모다 맞나요?　　　　　　　　　　　　　　P.N. 캬링

O : 네. 맞습니다─. 용케 눈치채셨군요─.
그 시절은 아직 루루시아 왕국도 평화로웠던 모양입니다.
그러나 현 국왕 '세키 왕'은 지독한 임금님이라서, 국민들이 그다지
행복한 것 같지는 않네요.
혁명군에게 받은 용기로,
모다와 국민들도
힘을 내면 좋겠어요.

세키왕　코마네왕녀

가라!! 몰리.　어?

뭉개당

썩..

D : 표지 리퀘스트에 대한
질문입니다. 56권에는 '동물과 밀짚모자 일당 한 사람 씩 등장하는
표지'로 돼있는데, 동물이 없거나, 밀짚모자 일당이 아닌
리퀘스트도 채용되곤 했죠?
현재의 모집 조건은 어떤 식이라고 이해하면 될까요?

표지 리퀘스트 '우솝이 코끼에 올라탄
왕관령무사와의 대화하는 모습'
P.N. 노디 스카이워커

O : 각 잡고 모집했던 적은 없었던 거 같은데─. 잊어버렸지만,
보내주신 수많은 리퀘스트 정말 감사합니다─. '동물 + 1
캐릭터가 ○○하는 모습'이라는 게 기본인데요. 밀짚모자
일당은 북적한 게 좋습니다. 처음에는 되도록 많은 분들의
리퀘스트에 응하자!는 생각에, 한 사람 당 리퀘스트 하나씩
꼬박꼬박 그렸습니다만, 리퀘스트 고수인 분들도 있다 보니, '이거 그리고 싶긴 한데
이 분 요청은 저번에도 그랬는데─' 같은 고민 끝에, 그리고 싶은 걸 마음대로 고르자
는 방식이 됐습니다. 저에게 해당 동물다운 느낌, 캐릭터다운 느낌을 그리고 싶다는
생각이 들도록 해주신다면 기꺼이 그립니다. 그림은 취미니까요. 덧붙여 컬러 대문
그림 경우에도 '이거 그리고 싶어!' 생각하면 그립니다.
이것도 동물을 넣어주세요. 22년이나 하다 보면, 이제 일러스트는 대략
그릴 만큼 그려봐서, 리퀘스트는 신선하니까 이쪽이 즐겁습니다.

제 950 화
'무사들의 꿈'

단기 집중 표지연재 제24탄 '갱 벳지의 오 마이 패밀리
Vol.2 '나, 쌍둥이 여동생 로라를 만나고 싶어!!'

137

분명
아버님의 모습…
와노쿠니를
지탱해온
'코즈키'의………
커다란 그림자……!!

이 몸이
아니다………!!
모두의 눈에
비치는 것은

모모노
스케 님
………

그렇군,
부족한
것은

이다지도
무겁게 느껴진 건
처음이다!!
겁먹지 마라,
모모노스케!!

다…
다들
들어주길
바란다.

그날……
오뎅 성에서
무슨 일이
일어났는지
……

우리가
지금까지
무얼 하고
있었는지……

예이!!

오오오

싸움이
끝난
그 후다!!

모모노스케 님의
늠름한 모습에
안심했다……
소인은 서둘러
가야할 곳이 있다네.

결전 전에는
반드시 합류할
터이니!!

그런가.
음!!

와!
와!

띠리...!

와노쿠니
'쿠리'

키비 꽃 링고
쿠리 우동 하쿠마이
오니

―기다림에
지친 나머지
'오니가시마'로
향해서

이게
'20년'이다.

뜬구름
잡는 듯한
전설을 계속
믿는다는 게

......

벌써
10년이다.
우리는 나이를
먹었어.

'10년'이
피크였다….

얼마나
어려운
일인지………

......

띠리잉……!!

분명
의미가
있어…!!

성공하면
알게 될 터!!

왜 20년의
세월이
필요했던
것인지….

해적 카이도와
쇼군 오로치의
목을 친다!!!

각오를
다진 자는
따라와라!!!

'코즈키'의
이름 아래
'오니가시마'로
쳐들어가

파!

어이,
짜식들아!!
때는 8일 후
불축제 밤!!

…….

오뎅 님을
의심할
마음은
없다……

'꽃의 도읍'
변두리 숲

키비
꽃
링고
우동
하쿠마이
오니

크힉!!

148

네 이놈….

숲 깊숙한 곳 '염마당(閻魔堂)'—

이걸로 전부인가……?

하아.

하아.

대체 몇 명이나 되는 거야……. 닌자 군단.

뭐, 신경 쓰지 마.

그러게….

죄송해요.

제가 걸림돌 이라서.

149

네가 죽으면 모모노스케를 볼 면목이 없어.

지금은 오토코가 걱정돼서… 괜찮으려나요.

숨을 수만 있다면 어디든 괜찮아요.

동료들에게 맡겼다! 괜찮겠지. 신변 쪽은……

너는 그 눈의 집으로 돌아갈 건가?

그보다 내 칼을 훔쳐간 놈한테 돌아가고 싶군.

네놈은 명도 '슈스이'의 가치를 모를 거다!!

결전 때까지 되찾지 않으면

허리춤이 허전해서 안 돼……!!

'링고'의 '강탈 다리' 말이죠…….

물론 안내해드릴게요.

토노야스의 원수는…… 반드시 갚는다.

!

…………

오로치는 용서 못 해.

150

……

죽이고 싶을 정도예요……!!

오로치는 ……… 제 손으로

놓쳤다는 게냐아?!!

띠 기잉!

와노쿠니 '꽃의 도읍'

시끌 시끌

앗

너희가 있었는데 말이더냐!!!

허나 '트라팔가 로' 라는 사내는······

송구하옵니다···!!

고문 후에 얼마든지 쓸 데가 있겠지요.

해적 세계에서는 배신이 '꽃'!!

'밀짚모자'에 필적하는 '주범급'!! 이로써 침입자들 머리를 둘 잡은 격입니다.

즐겁구나!!

'달 표식'의 사무라이들을 찾아내는 거니까.

하지만 우리가 도읍에서 할 일은 어떤 의미로는 끝났어.

수배는 전국이야.

야단났군. 이제 더 이상 도읍에는 접근 못 해.

……
…….

그들은 지금 모두 감옥 안에 모여 있어.

실곡

실곡
실곡

와곡
와곡

감옥소 안은 넓어…. 내 눈대중 으로는

그렇게 쉽게 풀리지 않을지도.

토노야스의 목숨을 건 연설 덕에 그 녀석들 '무죄'로 볼 것인데.

실곡

와곡
와곡

1000명은 붙잡혔어.

……

오로치 님이? '실수했습니다' 이러겠나? 에이, 말 안 하지!

왜 안 꺼내주는 건데?

야. 이 자식들 오로치 쇼군의 착각 탓에 붙잡힌 거 뿐이잖아?

저건 뭘 하는 거야?

―그런데 시노부.

로의 동료들도 있을 테고.

기껏 아군인 줄 알게 된 사람들…!!

꼭 탐나는 전력이야. 어떻게든 수를 써야 해.

......

꽃의 도읍 '불축제'는 죽은 이를 기리는 행사니까.

아니, 그 반대야!

거물이 둘이나 죽어 축제 벌일 기분도 아닐 것을.

'하늘배' 만들기야. '불축제' 준비지.

헤에......

성대할 수록 망자에게 마음이 전해져......

삐 리 잉!!

상고로

수배서

시노부

수배서

흰곰

너희 잡혔다고 들었거든!

다행이다!!

꽃의 도읍 변두리 '에비스 마을' 북쪽――.

시끌 시끌 와글 와글

그래.

우...... 운 좋게 도망쳤어.

아.......

뱀에 선이 두 줄 덧그려졌네?!

응.

감옥 안에 있는 놈들에게 그려서 보여준 '수수께끼 그림'이야.

어?!

참! 그래 이거, 야스이에라는 다이묘가 죽기 전에

소생이 책임지겠소!!

맡겨주시게!!

아하하하. 그럼 자네, 부탁하네.

에비스 마을──.

서골 시골

와글 와글

부탁이야…. 꼭 좀 부탁할게. 이히히히!! 아하하하!!

물론이오. 야스이에 님은 우리에게도 대은인!!

아하하하. 형씨, 잘 부탁해.

야스이에 님의 시신은 '쿠리'에서 꼭 공양하리오다.

와 하 하 하

와 하 하 하

꺄 하 하 하 하

162

잠시 이별이오!! 서두릅세나!!

그럼 다들 잘 있어.

응!!

가자, 나미!! 칸주로!!

준비 됐어!!

크릉 크르릉!!

지명 수배범이 여럿이므로 검문을 행하겠다!!

모두 얼굴을 보여라!!

나루터──

'꽃의 도읍'─'쿠리' 사이

키비
쿠리
우동
꽃
오니

야, 방금 저것들 얼른 보내.

통과!!

뭔가에 씌었어.

수배서

수배서
우소하치

오로비

뭣이!! 배!!!

배!! 또 배!!

'쿠리' 남서쪽 폐항

울다 지쳐 제품에서 자고 있습니다.

본키치, 오토코는?

내가 안을게.

넌 따스함이 없으니까

너무해.

164

이만큼 있으면 수천 명의 병사라도 '오니가시마'로 갈 수 있다.

삐잉!

수배써

수배써

우소하치

오로비

말이 안 나오는군…!!! 아슈라

조금 준비할 필요가 있지만

카이도에게 파괴당한 와노쿠니의 항구 곳곳에서 모아뒀다…….

마침내 '기습'이 시야에 들어오는군!!

프라노스케 공에게 정비를 부탁함세!!

암, 그다지 눈치 빠른 사내가 아니었어.

참으로 믿음직한 사내인지고. 자네를 다시 봤네!!

20년 동안 잠만 잔 게 아냐.

'오니가시마'
—

아직
부족하다나
봐!!

아직도~
~~~?!

서둘러!!
서둘러
옮겨!!

아무튼
단 거!!

킹, 인마
일처리
어중띠게
할래?!!

......
....

분명 배를
폭포에서
떨궜는데…

카이도….

엑!!!

아니 아니, 그야 농담인 게 뻔한…

거기 너…. 벗기라고 하잖냐………

'그럼' 같은 소리하네. 풀 거 같냐, 할망구—!!

마마하하하하. 유감이야. 그럼 이 수갑 풀어다오.

퀸 님, 할망구랬어………!! 그런 폭언을 잘도……

대화 듣는 것만으로 지릴 거 같아………!!

벗겨줘라. 뭘 하고 있나.

알고 있냐? 아주 예전에 빅 맘과 카이도 님은 같은 해적단에

!!!

카이도 님!!!

쿠구웅!!!

결국 오고 말았군, 링링.

몇십 년 만이람…!!!

아~~~~~...

쩌렁!!

촤르륵!!

벗겨라.

예?!!

네, 마마!!

다행이다.
원래대로
돌아와서!!

펑

엉

'나폴레옹'!!

나 낯을
가려서
어떡하나
했어.

말했다
—!!

무기가
나와서…

BUKIDA

죽으러 오는
바보가 세상 천지
어딨지?!

오면
죽인다고
했을 텐데.

ㅋ ㅋ ㅋ ㅋ

ㄲㄲㄲㄲ

171

D : 샹크스가 소유한 그리폰을 의인화 한 것을 꼭
　　보고 싶습니다. 필시 근사할 게 틀림없다고
　　생각하는데, 어떠려나요
　　　　　　P.N. 빨간 머리의 밀짚모자

그리폰

O : 샹크스의 칼 '그리폰' 말이죠?!
　　의인화 하면 또 제 특기죠!
　　맡겨만 주세요!! 여기요!!

D : 제931화 '소바 마스크' 편에서, 상디의 멋지구리한 네이밍 센스에
　　(아마도) 우솝과 프랑키가 '명명권을 달라'고 요란법석인데요.
　　그들이 진지하게 이름을 지었다면, 어떤 이름이 되었을까
　　궁금합니다. 일당의 다른 멤버가 이름을 지었다면…까지,
　　한꺼번에 알려주시면 좋겠습니다.
　　　　　　from S.마사에

O : 네. 그럼 지어달라고 해보죠!

 '검정! 마스크!
갈기'

 '띨띨이'

'망토'

'이나즈마스카이저'

 '불길한 가면'

 '가거라,
상디'

 '블랙 롤링
디스트로이어'

 '부럽 C
여탕남'

여러분이라면, 어떤 이름을 고르시겠습니까?

D : 레이주가 루피의 독을 빨 때 '잘 먹었어♡' 하고 혀(할짝)를 내밀며
　　말했거든요. 귀여웠던 나머지
　　흉내내보려고 했는데, '얄 먹었어', '달 먹었어'가 되더라구요.
　　어떻게 해야 말할 수 있나요?　　　　P.N. 카린토

O : 뭐, 사실은 '잘 먹었어♡' → '할짝' 순서로 할짝 장면을 따로
　　집어낸 것일 뿐입니다만, 카린토 양은 노력을 통해 '얄 먹었어'까지
　　도달했으니까, 그대로 계속 힘내면 좋겠어요! 언젠가 말할 수 있어요!
　　제대로 '잘 먹었어♡'라고!!

제 952 화
'히요리와 카와마츠'

단기 집중 표지 연재 제24탄 '갱' 벳지의 오 마이 패밀리 Vol.3 '아내의 소원은 내 소원'

돌려줄 수 없다, 그 칼 만큼은!!

으라아압~ ~~~~!!

!

......!!

네놈이 갖고 있던 '슈스이'는 도난당한 와노쿠니의 보물!!

그걸 도둑맞은 게 바로 불행의 시작이었다!!

그 탓에 '도신 님'의 화를 샀고!! 각 마을은 패배를 거듭해!!

이윽고 이 나라는 지배받고 말았다!!

빠라라앙!!

그 승부, 멈추어라ㅡ!!!

뭐가 신이냬!!

'슈스이' ......?!

어...?!

카이도 씨!!

멈춰 주십시오!!

'오니가시마'

으워어어어어!!!

밤 꼬박 샜어!! 섬이 못 버텨!!

이 싸움 언제 끝나는 거야!!

도망칠 작정이죠, 퀸 님. 치사해!!

좋아, 내가 확인하러 다녀오마.

—아직 스렁이가 연결이 안 됩니다.

무슨 소릴. 확인이다!!

쫄보 자식!!

보스가 싸우는 중에 도망치는 멍청이가 어딨나!!

진짜 본토로 피난 갈까?!

그보다 우동에서 연락은?!

연락 완료입니다.

시끌 시끌 와글와글

놀라운 요술이로고!! 수수경단으로 적조차 거느리다니.

응, 고마워! 착한 아이구나.

빠ㅡ밤!

이러면 되겠습니까? 주인님!!

술렁 짝!

술렁

동물이나 동물의 요술자에게 통하나 보더라구요.

179

자네 덕이다, 카리브.

그래, 빚 진 거다 ~~~?

결전의 날에는 적들도 아주~~~~ 간담이 서늘할 거라구우!!

이걸로 얌전히 붙잡혀 있을 터인 우리 몇 천의 죄수들!!

케히히히~~. 일~~~~이 잘 풀렸구만 ~~~~~!!

와글와글

아무튼 다행이야. 루피타로도 완전히

사무라이의 '은혜'는 부담되니까 됐어.

괜찮아. 의외로 간단한 바이러스였으니까.

목숨과 바꿔서라도 반드시 보답할 바요!!

쵸파에몬 공!! 이 은혜!!

삐리링!!

루피타로 ~~~~

우어어~~ ~~~~~!!

해보자, 애들아——!!

기운과 인기를 되찾아서!!

우오오오오오오!!

......

오오...... 각 마을의 야쿠자 두목들이......!!

이번 생에 살면서... 다시 함께하는 날이 올 줄이야!!

효고로 두목!!

청억

후후.... 모모노스케 님이 데리고 왔다는 것만으로

이런 신뢰라니.

역시 자네였던가!!

그렇군, 마지막에 '저택지도'를 빼앗아 간 '쿠리 사람'이란

뭣이라~~ ~~~?!!

'쿠리' 폐항 이타치 항구ㅡ

'오니가시마'는 카이도의 '저택지도'!!!

두웅!

찾아다녔다네.

이로써 적지에서의 전략을 짤 수 있겠군!!!

프르르 르르르 …!!

!

거 일일이 시끄럽다!! 이누!!

이렇게 재치 있는 사내가 아니었는데.

최고로구먼, 네 녀석!!!

와하하하

애기하면 길어지네만 싸울 수 있는 자를 얼추 세어봐도…

아니, 그 정도가 아니라네.

!

어떤가. 루피타로 공은 구출하였나?!

라이조인가!!

루피 군 해방이 어쩌다 그렇게 비약된 건가!!

뭐라냐, 그 수는!!

'채굴장'을 점거?!!

3500명?!! 루피 공도 무사히 구출에!! '카와마츠'까지 발견 및 해방?!!

사!!

카와마츠도 잡혀 있었나.

184

만드는 것은 해외 수출용 '병기'류가 대부분!!

무기 공장은 와노쿠니 전체에 몇 군데나 있나……!!

——하지만 미리 말해둬야 할 문제점이 한 가지……!!

함께 싸워줄 병사는 더 늘어날 걸세.

우오 오오오

반란 의지의 수에 비해 무기가 부족하면

현재 '와노쿠니'는 오로치에 의해 무기 소지가 금지돼있어 입수가 곤란해

'칼'이나 '창'이네!!

사무라이들이 가장 쥐고 싶은 건

싸움이 되질 않아.........!!!

......

'칼'이라…. 분명 심각하군!!

옳거니……. 그래, 알겠네.

소인이 이제부터 삿갓 마을로 가서 그곳을 거점으로 삼겠다!!

라이조, 그쪽의 정보를 자세히 정리하도록!!

알겠네.

꼬끼오 !?

이쪽도 진전은 있네만 잠시 기다리게.

전력의 최종 확인을 위해서라도

띠 리잉!!

설마
이런 곳에서

만나뵙게
될 줄이야…!!

카와마츠!!
으~~~앙.

'링고'
강탈 다리

소인은
무엇보다
기쁘옵니다!!
히요리 님!!

이렇게 무사히
살아계신
것이……!!

당신 혼자라면
살아갈 수
있을 텐데……
나 때문에
카와마츠가 죽으면
어쩌나 해서.

해마다
야위어지는
모습을
지켜볼 수
없어서

미안해.
나… 그 때
무서워서
도망쳐버렸어…!!

………!!
그러고 보니
저 녀석 부모가
죽은 후

……
……

찾아낸 얼마
안 되는 식량을
늘 나한테
주고……

캇파 손에
자랐다고
했지 참……

웬 놈이냐?!!

헉?!

떡

복!!

우리 무기를 마구 빼앗고 말이야!!!

쿠쿠웅!!

와하하하. 복수하러 왔다, 규키마루!!!

오늘 전부 돌려받겠다!!

맹수용 매그넘이다.

철커더덕!

히요리 님, 엎드리십시오.

이 녀석들, 동료인가?!

쟁...

상관없어, 다 쏴죽여!!!

으와아악!!!

야, 기다려.
또 도망칠
셈이냐!!

하아,
하아.

………
……!!

하아…
하아….

카와마츠
님…!!

무사하셨어
……!!!

다행이다
……!!!

(이시카와현 · I♡OP씨)

D : 와노쿠니에서는 다들 기모노 차림인데,
안쪽은 훈도시 상태인가요? 펜네임, 브리프

O : **물론임다!!**
남자는 다들 훈도시!
여성은 *유모지(湯文字)랍니다.
와노쿠니에서는.

남 녀

*유모지 : 목욕할 때 걸치는
허리 두름천

D : 오다 선생님은 지금도 모든 엽서나 편지를 읽어보시나요?
P.N. 스에미츠

O : 다 읽고 말고요! 물론입니다! 더구나 22년 동안 이걸
처분한 적이 없어요. (웃음) 집에 두면 엄청난 양이라서
다 읽은 편지를 보관하기 위한 방을 빌려 그곳에 둔답니다.
언젠가 바닥이 가라앉을지도 모를 만한 양이에요!
고마워요!! 모두의 마음이니까, 버릴 수가 없어요—.

D : 오다 쌤! 저 깨닫고 말았어요! 효고로 씨한테도 '코마이누' '코마시카'의
불꽃 같은 털이 자랐지 않습니까…
요컨대 그는 '코마 인간'이었던 거예요!!!
P.N. 420랜드

O : 헉 그랬던 건가…!
그럼 코마 인간이라고 치죠.

D : **임이 지울 등불…
바로 저인가요…?**

O : 아니라고 생각하니 안심하고
지내시면 됩니다.
그리고 여러분도 다들
즐겁게 지내시길 바랍니다!!
SBS는 여기까지—!!
다음 권에서 또 봐요〰!!!

처 어 어 어 억!!

그 자의
이름을!!

그렇다면

정하셨사온지?

역사에서
지워야 할
'등불'이
또다시.

190

제 953 화
'한번 여우'

단기 집중 표지 연재 제24탄 '갱' 벳지의 오 마이 패밀리 Vol.4 '적선 강탈!!
자, 스릴러 바크로'

현재——
'링고'

하아.

하아.

쿵
쿵
쿵
쿵

대체 뭐야,
여기는….

단념을
안 하는군……
저 자식.

떡
그럭!

다친
몸인데…

아무튼
혈흔을
따라가면…

응?

아직도 집요한 '잔당 사냥'이라니…!!

여기서 벗어나죠.

방금 전 거대한 승병은 누구였을꼬.

나 어린애 아니라구.

잠깐만!

카와마츠.

뿌우~!

!

자, 발밑이 위험하오니……

……

왜 지금 여기에?

하고 싶은 얘기가 잔뜩 있지만

어른은 그렇게 복어처럼 볼록해지지 않지요.

캇파파!! 그렇습니까?!

!

풋

증말!!

194

바로
이 땅이다!!

공주님께
무슨 일이
생겼을 때
배를 긋는다면

시시한 볼일로
이곳에
왔었더라지요.

········당신께서
사라진 후

띠

리잉!

다부지기로
이름 높은
'시모츠키' 일족이
마을을 다스리고
있었습니다.

링고

×

하쿠마이

──이 북쪽
대지
'링고'는······
옆의
'하쿠마이'와
마찬가지로

──하지만
'링고' 또한
카이도의 손에 의해
폐허로
변해버렸어요.

다이묘의 이름은
'시모츠키
우시마루' 님······.
늘 여우와 둘이서
다니던 검의 달인.

여우······?

그렇습니다. 그리고 목표는 '칼'로 정해져 있지요.

추워서… 통에 넣은 시신이 몇백 년은 썩지 않는댔던가…….

──링고의 풍습인 '영겁의 무덤'을 알고 계시온지?

꺼컹 꺼컹~!!

꺄! 와!

──그것이 이 '링고'라는 토지.

도굴꾼이 끊이지 않습니다………!!

그 중에는 이름난 명도도 있기에

응?

뭐냐, 얌전히 죽게 해주지도 않는 건가.

꺼컹 꺼컹!!

크르르!!

물려 죽는다──!!

으와아악~~!!!

크르르릉!!

너는…….

적어도 둘이서 그날까지 숨겨둔 칼이 남아 있다면

몇백 명 몫은 마련할 수 있을진데……

벌써 13년이나 예전 이야기……. 여기 있을 거 같진 않습니다…….

'오니마루'는 돌아오지 않는 소인에게 정이 떨어진 거겠지요.

그럼 그 여우 씨를 만나라?

이 문을 열어두고 가서…

그 덩치는 사라졌지만 ……

조로주로 씨!!

……

푸르르 르르 !!

여기는 지하로 가는 통로.

?!

푸르르 르르 !!

쫓을까, 들어갈까.

……

무슨 의미지?

잘 아는구만!! 그 말이 맞네!! 곤란한 참이야.

—하지만 칼이 부족하지 않은가?

'우동'의 일로...... 병사 수는 단번에 늘었다.

카와마츠나~ ~~~~~~ ~~~!!! 용케 살아있었군!!

딸깍!!

오로치 녀석, 이 20년새 온 나라의 칼을 몰수해버려선.

킨에몬인가?

칼은 얼마든지 마련할 수 있다!!

피리잉!!

안심해라. 몇 천의 병사가 모이든.........

참말인가아 ~~~?!!

소인이 말하는 곳으로 일손을 보내주게.

하아.

쩍

하아. 쩍

오니마루 인가...? 아니야... 이것은 사람의 소행...

어찌 이렇게나 ......!!

하아

하아

하아

하아

♪

하아…

하아…

그러니까 내 거래도 그러네!!

'와노쿠니'에 돌려주세요!!

만약 진짜 '슈스이'라면

!

조로주로 씨…. 당신의 칼이

명도(名刀) '엔마(閻魔)'!!

대신할 것을 드리겠어요!!

카이도에게 유일하게 상처를 낸 전설의 칼입니다!!

제가 돌아가신 아버님께 물려받은 칼.

?!

《원피스》 95권을 기대해 주세요!!

CHAMP COMICS

원피스 94

2023년 11월 23일 초판 인쇄
2023년 11월 30일 초판 발행

저자 : EIICHIRO ODA
역자 : 길명
발 행 인 : 황민호
콘텐츠1사업본부장 : 이봉석
책임편집 : 조동빈 /정은경
발행처 : 대원씨아이(주)

ISBN 979-11-6894-540-1 07830
ISBN 979-11-362-8747-2 (세트)

서울특별시 용산구 한강대로 15길 9-12
전화 : 2071-2000 FAX : 797-1023
1992년 5월 11일 등록 제1992-000026호

● Korean edition, for distribution and sale in Republic of Korea only.
● 이 책의 유통판매 지역은 한국에 한합니다.
● 잘못 만들어진 책은 구입하신 곳에서 바꾸어 드립니다.
● 문의 : 영업 (02)2071-2074 / 편집 (02)2071-2027